JEAN COCTEAU

de l'Académie Française

Orphée

tragédie en un acte
et un intervalle

Qu'il est laid le bonheur qu'on veut
Qu'il est beau le malheur qu'on a

L'A. H.

STOCK

Dédicace

Mon cher Pitoëff,

Un peintre peut se jeter du cinquième étage, l'amateur dira encore que cela fait une jolie tache. Vous savez à quoi s'expose un dramaturge écorché vif. Mais, au théâtre, le public réserve des surprises et ne préjuge pas. La critique, elle, sauf quelques exceptions, ne réserve aucune surprise. Or, votre indifférence à cet ordre de choses dépasse la mienne, et, malgré la critique, nous obtînmes chaque soir une salle qui collaborait avec nous. Salles émouvantes pour un esprit que l'admiration laisse froid et dont la seule affaire est d'être cru.

Vos enfants vinrent un dimanche. L'aîné a sept ans. Ils sortent neufs de la mort ou les grandes personnes retournent. Ils se trouvent donc de plain-pied avec le mystère. Depuis, la soupe se mange pour Orphée, pour Eurydice, pour Heurtebise; Sacha imite le cheval et Ludmilla traverse les miroirs. Les critiques citent mon texte tout de travers. Eux le retiennent, le jouent, y jouent. S'ils le changent c'est comme le rêve change nos actes. Bref, ils réussissent le miracle de la dernière scène; une maison montée au ciel. J'offre ma pièce à vos enfants, et je souhaite qu'ils ne perdent jamais l'enfance, ou qu'ils la retrouvent grâce au cœur, au génie, hérités de votre femme et de vous.

JEAN.

1er juillet 1926.

Prologue

L'acteur chargé du rôle d'Orphée paraît devant le rideau.

Mesdames, Messieurs, ce prologue n'est pas de l'auteur. Sans doute sera-t-il surpris de m'entendre. La tragédie dont il nous a confié les rôles est d'une marche très délicate. Je vous demanderai donc d'attendre la fin pour vous exprimer si notre travail vous mécontente. Voici la cause de ma requête : nous jouons très haut et sans filet de secours. Le moindre bruit intempestif risque de nous faire tuer, mes camarades et moi.

Exit.

SCÈNE PREMIÈRE

ORPHÉE, EURYDICE, LE CHEVAL

Orphée derrière la table de gauche. Il consulte un alphabet spirite. Eurydice assise à droite, près de la table servie.

EURYDICE. — Je peux bouger ?

ORPHÉE. — Attends encore une seconde.

EURYDICE. — Il ne tape plus.

ORPHÉE. — Il met quelquefois très longtemps entre la première lettre et les autres.

EURYDICE. — On prévoit les autres !

ORPHÉE. — Je t'en prie, n'est-ce pas !

EURYDICE. — Avoue que ce mot revient toujours.

ORPHÉE. — M, M... Cheval, continue. Allons vite, après la lettre M... je t'écoute.

EURYDICE. — Quelle patience ! Toi qui n'as aucune tête, tu en trouves pour ton cheval. J'écoute. Allons, cheval ! M. M, après M. (*Le cheval bouge.*) Tu bouges. Tu vas parler. Parle. Dicte-nous la lettre après la lettre M. (*Le cheval frappe avec son sabot, Orphée compte.*)

A. B. C. D. E. E, c'est la lettre E ? (*Le cheval remue la tête de haut en bas.*)

EURYDICE, — Naturellement.

ORPHÉE, *furieux.* — Chut ! (*Le cheval frappe.*) A. B. C. D. E. F. G. H. I. J. K. L. M. N. O. P. Q. R. (*A Eurydice.*) Je te défends de rire. R, c'est bien la lettre R ? M, E, R, mer ? J'ai mal compté. Cheval ! est-ce bien la lettre R ? Si c'est oui frappe un coup, deux si c'est non. (*Le cheval frappe un coup.*)

EURYDICE. — N'insiste pas.

ORPHÉE. — Écoute, je te demande en grâce de te tenir tranquille. Rien ne dérange ce cheval comme les personnes incrédules. Va dans ta chambre ou tais-toi.

EURYDICE. — Je n'ouvrirai plus la bouche.

ORPHÉE. — Tant mieux. (*Au cheval*). Mer. Mer... et après mer ? M. E. R., mer. J'écoute. Parle. Parle-moi, cheval. Cheval ! Allons, un peu de courage. Après la lettre R ? (*Le cheval frappe. Orphée compte.*) A. B. C. (*Silence.*) C. La lettre C. La lettre C, chère Madame ! (*Le cheval frappe.*) A. B. C. D. E. F. G. H. I. Merci. Merci ! c'était merci ! Est-ce tout ? Est-ce merci tout court ? (*Le cheval remue la tête de haut en bas*). C'est for-mi-da-ble. Tu vois, Eurydice ! avec ton esprit mal tourné, j'aurais pu te croire, j'aurais pu avoir la faiblesse de me laisser convaincre... Merci tout court, c'est for-mi-da-ble !

EURYDICE. — Pourquoi ?

ORPHÉE. — Comment, pourquoi ?

EURYDICE. — Pourquoi est-ce formidable ? Ce merci n'a aucun sens.

ORPHÉE. — Par exemple ! Ce cheval me dicte la semaine dernière une des phrases les plus émouvantes du monde.

EURYDICE. — Oh !...

ORPHÉE. — ...Me dicte une des phrases les plus émouvantes du monde. Je me propose de la mettre en œuvre pour transfigurer la poésie. J'immortalise mon cheval et tu t'étonnes de l'entendre me dire merci. Ce merci ¡est un chef-d'œuvre de tact. Et moi qui croyais... (*Il enlace le cou du cheval*).

EURYDICE. — Écoute, Orphée, mon amour, ne me gronde pas. Sois juste. Avoue que depuis cette fameuse phrase tu obtiens un mot, un seul, et que ce mot n'est guère poétique.

ORPHÉE. — Sait-on ce qui est poétique et pas poétique.

EURYDICE. — Aglaonice faisait tourner les tables et sa table répondait toujours ce mot-là.

ORPHÉE. — Allons bon ! Il ne manquait plus que de mêler cette personne à nos affaires. Je t'ai déjà dit que je ne voulais plus qu'on me parle d'elle. Une femme dont l'influence a failli te perdre ! Une femme qui boit, qui promène des tigres, qui tourne la tête de nos épouses, qui empêche les jeunes filles de se marier.

EURYDICE. — Mais c'est le culte de la lune.

ORPHÉE. — Bravo ! Je t'engage à la défendre. Retourne chez les Bacchantes puisque leurs mœurs te plaisent.

EURYDICE. — Je te taquine. Tu sais bien que je n'aime que toi et que tu n'as eu qu'un signe à faire pour que je quitte ce milieu.

ORPHÉE. — Joli milieu. Je n'oublierai jamais la voix avec laquelle Aglaonice me dit : « Emmenez-la puisqu'elle accepte. Les femmes bêtes adorent les artistes. Rira bien qui rira le dernier.»

EURYDICE. — J'en ai eu froid dans le dos.

ORPHÉE. — Si je la retrouve ! (*Il frappe l'encrier contre la table.*)

EURYDICE. — Orphée, mon poète… Regarde comme tu es nerveux depuis ton cheval. Avant tu riais, tu m'embrassais, tu me berçais ; tu avais une situation superbe. Tu étais chargé de gloire, de fortune. Tu écrivais des poèmes qu'on s'arrachait et que toute la Thrace récitait par cœur. Tu glorifiais le soleil. Tu étais son prêtre et un chef. Mais depuis le cheval tout est fini. Nous habitons la campagne. Tu as abandonné ton poste et tu refuses d'écrire. Ta vie se passe à dorloter ce cheval, à interroger ce cheval, à espérer que ce cheval va te répondre. Ce n'est pas sérieux.

ORPHÉE. — Pas sérieux? Ma vie commençait à se faisander, à être à point, à puer la réussite et la mort. Je mets le soleil et la lune dans le même sac. Il me reste la nuit. Et pas la nuit des autres ! Ma nuit. Ce cheval entre dans ma nuit et il en sort comme un plongeur. Il en rapporte des phrases. Ne sens-tu pas que la moindre de ces phrases est plus étonnante que tous les poèmes ? Je donnerais mes œuvres complètes pour une seule de ces petites phrases où je m'écoute comme on écoute la mer dans un coquillage. Pas sérieux ? Que te faut-il, ma petite ! Je découvre un monde. Je retourne ma peau. Je traque l'inconnu.

EURYDICE. — Tu vas encore me citer la fameuse phrase.

ORPHÉE. grave, — Oui. (*Il remonte vers le cheval et récite.*) Madame Eurydice reviendra des enfers.

EURYDICE. — Elle n'a aucun sens, cette phrase.

ORPHÉE. — Il s'agit bien de sens. Colle ton oreille contre cette phrase. Ecoute le mystère « Eurydice reviendra » serait quelconque — mais Madame Eurydice ! Madame Eurydice reviendra — ce revie*ndra*! ce futur! et la chute : des enfers. Tu devrais être contente que je parle de toi.

EURYDICE. — Ce n'est pas toi qui en parles... (*Montrant le cheval.*) C'est lui.

ORPHÉE. — Ni lui, ni moi, ni personne. Que savons-nous ? Qui parle ? Nous nous cognons dans le noir ; nous sommes dans le surnaturel jusqu'au cou. Nous jouons à cache-cache avec les dieux. Nous ne savons rien, rien, rien. « Madame Eurydice reviendra des enfers » ce n'est pas une phrase. C'est un poème, un poème du rêve, une fleur du fond de la mort.

EURYDICE. — Et tu espères convaincre le monde ? Faire admettre que la poésie consiste à écrire une phrase ; avoir du succès avec ta phrase de cheval ?

ORPHÉE. — Il ne s'agit pas de succès ni de cheval ni de convaincre le monde. Du reste, je ne suis plus seul.

EURYDICE. — Ne me parle pas de ton public. Quatre ou cinq jeunes brutes sans cœur qui te croient un anarchiste et une douzaine d'imbéciles qui cherchent à se faire remarquer.

ORPHÉE. — J'aurai mieux. J'espère un jour charmer les vraies bêtes.

EURYDICE. — Puisque tu méprises le succès, pourquoi envoyer cette phrase au concours de Thrace ? Pourquoi attacher une importance pareille à remporter le prix ?

ORPHÉE. — Il faut jeter une bombe. Il faut obtenir un scandale. Il faut un de ces orages qui rafraîchissent l'air. On étouffe. On ne respire plus.

EURYDICE. — Nous étions si calmes.

ORPHÉE. — Trop calmes.

EURYDICE. — Tu m'aimais.

ORPHÉE. — Je t'aime.

EURYDICE. — Tu aimes le cheval. Je passe en second.

ORPHÉE. — Tu es stupide. Il n'y a aucun rapport. (*Il embrasse distraitement Eurydice et s'approche du cheval*). N'est-ce pas mon vieux ? N'est-ce pas mon vieux frère ? Hein ? On l'aime son ami ? Tu veux un sucre ? Alors, embrasse-moi. Non, mieux. Là... là... qu'il est beau ! Tiens. (*Il sort du sucre de sa poche et le donne au cheval.*) C'est bon.

EURYDICE. — Je n'existe plus. Je mourrais que tu ne t'en apercevrais pas.

ORPHÉE. — Nous étions morts sans nous en apercevoir.

EURYDICE. — Viens près de moi.

ORPHÉE. — Hélas ! Il faut que je sorte. Je vais en ville me mettre en règle pour le concours. C'est demain la date limite. Je n'ai pas une minute à perdre.

EURYDICE, *dans un élan*. — Orphée ! mon Orphée !...

ORPHÉE. — Tu vois ce socle vide. Je n'y poserai qu'un buste digne de moi.

EURYDICE. — Ils te lanceront des pierres.

ORPHÉE. — Je ferai mon buste avec.

EURYDICE. — Méfie-toi des Bacchantes.

ORPHÉE. — Je les ignore.

EURYDICE. — Elles existent. Elles plaisent. Je connais leurs méthodes. Aglaonice te hait. Elle doit prendre part au concours.

ORPHÉE. — Oh ! cette femme ! cette femme !

EURYDICE. — Sois juste... Elle a du talent.

ORPHÉE. — Hein ?

EURYDICE. — Dans un genre affreux, c'est entendu. Mais sous un certain angle, sur un certain plan, elle en a. Elle a de belles images.

ORPHÉE. — Voyez-vous cela. *Sous un certain angle... sur un certain plan...* C'est chez les Bacchantes que tu as appris cette façon de parler ? Alors sur un certain plan ses images te plaisent. Sous un certain angle tu approuves mes ennemis mortels. Et tu m'aimes, et tu prétends que tu m'aimes. Eh bien, par cet angle et par ce plan, je déclare que j'en ai assez, qu'on me persécute, et que ce cheval est la seule personne qui sache me prendre ici. (*Coup de poing sur la table.*)

EURYDICE. — Ce n'est pas la peine de casser tout.

ORPHÉE. — Casser tout. C'est le comble ! Madame casse un carreau par jour et maintenant c'est moi qui casse tout.

EURYDICE. — D'abord...

ORPHÉE, *qui marche de long en large.* — Je sais ce que tu vas dire. Tu vas dire que tu n'as pas encore cassé de carreau aujourd'hui.

EURYDICE. — Mais...

ORPHÉE. — Eh bien, casse, casse-le, casse le carreau.

EURYDICE. — Comment peux-tu te mettre dans un état pareil ?

ORPHÉE. — Voyez le fine mouche. Tu ne casses pas de carreau parce que je sors...

EURYDICE, *vivement.* — Que veux-tu insinuer ?

ORPHÉE. — Tu me crois donc aveugle ! Tu casses chaque jour un carreau pour que le vitrier monte.

EURYDICE. — Eh bien oui, je casse un carreau pour que le vitrier monte. C'est un brave garçon plein de cœur. Il m'écoute. Il t'admire.

14

ORPHÉE. — Trop aimable.

EURYDICE. — Et quand tu interroges le cheval et que tu me laisses toute seule je casse le carreau. Tu n'es pas jaloux, je suppose ?

ORPHÉE. — Jaloux, moi ? jaloux d'un garçon vitrier ? Pourquoi ne serais-je pas aussi jaloux d'Aglaonice ! Par exemple ! Tiens, puisque tu refuses de casser le carreau, c'est moi qui le casserai. Cela me soulagera. (*Il casse un carreau. On entend : Vitrier! Vitrier! Vitrier!*) Hep ! Vitrier ! — Il monte. Jaloux ?

SCÈNE II

LES MÊMES, HEURTEBISE

Heurtebise apparaît sur le balcon. Le soleil frappe ses vitres. Il entre, plie un genou et croise les mains sur son cœur.

HEURTEBISE. — Bonjour messieurs et dames.

ORPHÉE. — Bonjour mon ami. C'est moi, MOI qui ai cassé ce carreau. Remettez-le. Je vous laisse. (*A Eurydice.*) Ma chère, vous surveillerez le travail. (*Au cheval.*) On l'aime, son poète ? (*Il l'embrasse.*) A ce soir. (*Il sort.*)

SCÈNE III

EURYDICE, HEURTEBISE

EURYDICE. — Vous voyez. Je n'invente rien.

HEURTEBISE. — C'est inouï.

EURYDICE. — Vous me comprenez.

HEURTEBISE. — Ma pauvre dame.

EURYDICE. — Depuis que ce cheval l'a suivi dans la rue, depuis qu'il l'a ramené à la maison, depuis qu'il habite chez nous, depuis qu'ils se parlent...

HEURTEBISE. — Le cheval lui a encore parlé ?

EURYDICE. — Il lui a dit merci.

HEURTEBISE. — Il sait le prendre.

EURYDICE. — Bref, depuis un mois, notre existence est devenue un supplice.

HEURTEBISE. — Vous ne pouvez pas être jalouse d'un cheval ?

EURYDICE. — J'aimerais mieux lui savoir une maîtresse.

HEURTEBISE. — Vous le dites...

EURYDICE. — Sans vous, sans votre amitié, je serais déjà folle.

HEURTEBISE. — Chère Eurydice.

EURYDICE. *Elle se regarde dans le miroir. Sourire.* — Figurez-vous que j'ai une petite lueur. Il s'est rendu compte que je cassais un carreau chaque jour. Alors, au lieu de dire que

16

je casse du verre blanc pour me porter la chance, j'ai dit que je le cassais pour que vous montiez me voir.

HEURTEBISE. — J'aurais cru...

EURYDICE. — Attendez. Il m'a fait une scène et il a cassé le carreau. Je le crois encore jaloux.

HEURTEBISE. — Comme vous l'aimez...

EURYDICE. — Plus il me maltraite, plus je l'aime. Il m'avait déjà semblé qu'il était jaloux d'Agaonice.

HEURTEBISE. — D'Aglaonice ?

EURYDICE. — Il déteste tout ce qui se rapporte à mon ancien milieu. C'est pourquoi je crains que nous ne commettions une imprudence terrible. Parlons bas. J'ai toujours peur que ce cheval ne m'écoute.
Ils remontent sur la pointe des pieds jusqu'à la niche.

HEURTEBISE. — Il dort.
Ils redescendent au premier plan.

EURYDICE. — Vous avez vu Aglaonice ?

HEURTEBISE. — Oui.

EURYDICE. — Orphée vous tuerait s'il l'apprenait.

HEURTEBISE. — Il ne l'apprendra pas.

EURYDICE. *Elle l'entraîne encore plus loin du cheval, vers sa chambre.* — Vous avez... la chose ?

HEURTEBISE. — Je l'ai.

EURYDICE. — Sous quelle forme ?

HEURTEBISE. — Sous la forme d'un morceau de sucre.

EURYDICE. — Quelle attitude avait-elle ?

HEURTEBISE. — Très simple. Elle m'a dit :

Donnant, donnant. Voici le poison, rapportez-moi la lettre.

EURYDICE. — C'est une lettre fort ennuyeuse pour elle.

HEURTEBISE. — Elle a même ajouté : Pour que la petite ne se compromette pas, je vous remets une enveloppe. Mon adresse est de ma propre écriture. Elle n'aura qu'à introduire la lettre dedans et à coller. Il ne restera aucune trace de notre échange.

EURYDICE. — Orphée est injuste. Elle est capable de choses très bien. Elle était seule ?

HEURTEBISE. — Avec une amie. Ce n'était pas un milieu pour vous.

EURYDICE. — Certes. Mais je ne trouve pas que Aglaonice soit une mauvaise fille.

HEURTEBISE. — Méfiez-vous des bonnes filles et des braves garçons. Voilà votre sucre.

EURYDICE. — Merci... (*Elle prend le sucre avec crainte et s'approche du cheval.*) J'ai peur.

HEURTEBISE. — Vous reculez ?

EURYDICE. — Je ne recule pas, mais j'ai peur. A froid, nez à nez avec l'acte, j'avoue que je manque de courage. (*Elle redescend devant la table à écrire.*) Heurtebise ?

HEURTEBISE. — Quoi ?

EURYDICE. — Mon petit Heurtebise. Vous ne consentiriez pas...

HEURTEBISE. — Ho ! ho ! vous me demandez une chose bien grave.

EURYDICE. — Vous m'avez dit que vous feriez n'importe quoi pour me rendre service.

HEURTEBISE. — Je le répète, mais...

EURYDICE. — Oh ! mon cher, si cela vous gêne le moins du monde... n'en parlons plus.

HEURTEBISE. — Passez-moi le sucre.

EURYDICE. — Merci. Vous êtes un brave cœur.

HEURTEBISE. — Seulement, l'acceptera-t-il de ma main ?

EURYDICE. — Essayez toujours.

HEURTEBISE, *près du cheval.* — Je vous avoue ne pas me sentir très fort sur mes jambes.

EURYDICE. — Soyez un homme ! (*Elle passe à droite et s'arrête près de la porte de sa chambre.*)

HEURTEBISE. — Allons-y. (*D'une vois faible.*) Cheval... Cheval...

EURYDICE, *regardant par la fenêtre.* — Ciel, Orphée ! il rentre. Il traverse le jardin. Vite, vite, ayez l'air de travailler. (*Heurtebise jette le sucre sur la table servie et la pousse contre le mur entre le fenêtre et la porte de la chambre.*) Montez sur cette chaise.

Heurtebise monte sur la chaise dans le cadre de la porte-fenêtre et feint de prendre des mesures. Eurydice tombe assise sur la chaise de la table à écrire.

SCÈNE IV

LES MÊMES, *ORPHÉE*

ORPHÉE. — J'ai oublié mon acte de naissance. Où l'ai-je mis ?

EURYDICE. — En haut de la bibliothèque à gauche. Veux-tu que je le cherche ?

ORPHÉE. — Reste assise. Je le trouverai bien moi-même. (*Il passe devant le cheval, le caresse, prend la chaise sur laquelle Heurtebise se tient debout et l'emporte. Heurtebise reste dans sa pose, suspendu en l'air. Eurydice étouffe un cri. Orphée, sans s'apercevoir de rien, monte sur la chaise devant la bibliothèque, dit : « Le voilà », prend l'acte de naissance, descend de la chaise, la reporte à sa place sous les pieds d'Heurtebise et sort.*)

SCÈNE V

EURYDICE, HEURTEBISE

EURYDICE. — Heurtebise ! M'expliquerez-vous ce prodige !

HEURTEBISE. — Quel prodige ?

EURYDICE. — Vous n'allez pas me dire que vous ne vous êtes aperçu de rien et qu'il est naturel qu'un homme sous lequel on ôte une chaise reste suspendu en l'air au lieu de tomber.

HEURTEBISE. — Suspendu en l'air ?

EURYDICE. — Jouez la surprise, je vous ai vu. Vous teniez en l'air. Vous restiez en l'air à cinquante centimètres du sol. Il y avait le vide autour.

HEURTEBISE. — Vous m'étonnez beaucoup

EURYDICE. — Vous êtes demeuré une bonne minute entre terre et ciel.

HEURTEBISE. — C'est impossible.

EURYDICE. — Justement parce que c'est impossible, vous me devez une explication.

HEURTEBISE. — Vous prétendez que je me tenais sans support entre le plancher et le plafond ?

EURYDICE. — Ne mentez pas, Heurtebise ! Je vous ai vu, de mes yeux vu. J'ai eu toutes les peines du monde à étouffer un cri. Dans cette maison de fous, vous étiez mon dernier refuge, la seule personne qui ne m'effrayait pas, auprès de laquelle je retrouvais mon équilibre. Mais on a beau vivre avec un cheval qui parle, un ami qui flotte en l'air devient forcément suspect. Ne m'approchez pas ! Jusqu'à nouvel ordre, même votre lumière dans le dos me donne la chair de poule. Expliquez-vous, Heurtebise : je vous écoute.

HEURTEBISE. — Je n'ai pas à me défendre. Ou je rêve, ou vous avez rêvé.

EURYDICE. — Oui, en rêve, il arrive qu'on fasse ce que vous avez fait, mais nous ne dormions ni l'un ni l'autre.

HEURTEBISE. — Vous devez être le jouet d'un mirage entre mes vitres et les vôtres. Il arrive que les objets mentent. J'ai vu à la foire une dame nue marcher au plafond.

EURYDICE. — Il ne s'agissait pas d'une machine. C'était beau et atroce. L'espace d'une seconde je vous ai vu atroce comme un accident et beau comme l'arc-en-ciel. Vous étiez le cri d'un homme qui tombe par la fenêtre et le silence des étoiles. Vous me faites peur. Je suis trop franche pour ne pas vous le dire. Si vous voulez vous taire, taisez-vous ; mais nos rapports ne peuvent plus être les mêmes. Je vous croyais simple, vous êtes compliqué. Je vous croyais de ma race, vous êtes de celle du cheval.

HEURTEBISE. — Eurydice, ne me torturez pas... Vous avez une voix de somnambule. C'est vous qui me faites peur.

EURYDICE. — N'employez pas le système d'Orphée. Ne retournez pas les rôles. N'essayez pas de me faire croire que je suis folle.

HEURTEBISE. — Eurydice, je vous jure...

EURYDICE. — Inutile, Heurtebise. J'ai perdu ma confiance en vous.

HEURTEBISE. — Que faire ?

EURYDICE. — Attendez. (*Elle se dirige vers la bibliothèque, monte sur la chaise, prend un livre, l'ouvre, en retire une lettre et le remet en place.*) Donnez-moi l'enveloppe d'Aglaonice. (*Il la donne.*) Merci. (*Elle met la lettre dans l'enveloppe et lèche la colle.*) Oh !

HEURTEBISE. — Vous vous êtes coupé la langue ?

EURYDICE. — Non, mais cette colle a un drôle de goût. Prenez l'enveloppe. Vous la porterez chez Aglaonice. Allez.

HEURTEBISE. — La vitre n'est pas remise.

EURYDICE. — Je me passerai de vitre. Allez.

HEURTEBISE. — Vous voulez que je parte.

EURYDICE. — J'ai besoin de rester seule.

HEURTEBISE. — Vous êtes méchante.

EURYDICE. — Je n'aime pas les fournisseurs qui volent.

HEURTEBISE. — Ce jeu de mots cruel est indigne de vous.

EURYDICE. — Ce n'est pas un jeu de mots.

HEURTEBISE. *Il ramasse son sac.* — Vous regretterez de m'avoir fait du mal. (*Silence*). Vous me chassez ?

EURYDICE. — Le mystère est mon ennemi. Je suis décidée à le combattre.

HEURTEBISE. — Je sors. Je veux vous plaire par mon obéissance. Adieu, Madame.

EURYDICE. — Adieu. (*Ils se croisent. Eurydice se dirige vers sa chambre. Heurtebise ouvre la porte et sort. La porte reste ouverte. On voit son dos briller immobile au soleil. Tout à coup Eurydice s'arrête et change de visage. Elle chancèle, porte la main à son cœur et se met à crier :)* Heurtebise ! Heurtebise ! vite, vite...

HEURTEBISE, *rentrant*. — Qu'y a-t-il ?

EURYDICE. — Au secours !...

HEURTEBISE. — Vous êtes glacée, vous êtes verte !

EURYDICE. — Je me paralyse. Mon cœur saute. Mon ventre brûle.

HEURTEBISE. — L'enveloppe !

EURYDICE. — Quoi, l'enveloppe ?

HEURTEBISE, *criant*. — L'enveloppe d'Aglaonice. Vous l'avez léchée. Vous avez dit qu'elle avait un drôle de goût.

EURYDICE. — Ah ! La misérable ! Courez vite. Ramenez Orphée. Je meurs. Je veux revoir Orphée. Orphée ! Orphée !

HEURTEBISE. — Je ne peux pas vous laisser seule. Il doit y avoir quelque chose à faire, un contre-poison à prendre.

EURYDICE. — Je connais ce poison des bacchantes. Il paralyse. Rien ne me sauvera. Courez vite. Ramenez Orphée. Je veux le revoir. Je veux qu'il me pardonne. Je l'aime, Heurtebise. Je souffre. Si vous hésitez il sera trop tard. Je vous le demande à genoux. Heurtebise, Heurtebise, vous êtes bon, vous me plaignez. Ah ! on m'enfonce des pointes entre les côtes. Vite, vite, courez, volez ! Prenez le raccourci. S'il rentre, vous le rencontrerez en route. Je vais me coucher dans ma chambre pour vous attendre. Aidez-moi. (*Heurtebise la mène jusqu'à sa chambre.*) Vite, vite, vite. (*Elle disparaît.*

23

Au moment où Heurtebise va ouvrir la porte elle sort de la chambre.) Heurtebise, écoutez, si vous savez des choses... enfin... des choses comme tout à l'heure... qui permettent de se transporter instantanément d'un point à un autre... Il ne faut pas m'en vouloir, j'étais nerveuse, j'étais sotte... Je vous aime bien, Heurtebise... essayez tout. Ah ! (*Elle rentre dans la chambre*).

HEURTEBISE. — Je le ramènerai, je vous le promets.

Il sort.

La scène reste vide un instant. La lumière change. Roulements et syncopes de tambours qui accompagnent en sourdine toute la scène suivante.

SCÈNE VI

LA MORT, AZRAEL, RAPHAEL

La Mort entre en scène par le miroir, suivie de ses deux aides. Elle est en robe de bal sous un manteau. Ses aides ont l'uniforme des chirurgiens. On devine leurs yeux. Le reste du visage est recouvert par du linge. Gants de caoutchouc. Ils portent deux grandes valises noires très élégantes. La Mort marche vite et s'arrête au milieu de la chambre.

LA MORT. — Dépêchons-nous.

RAPHAËL. — Où Madame veut-elle qu'on pose les sacs ?

LA MORT. — Par terre, n'importe où. Azraël vous expliquera. Azraël, mon manteau.

Il enlève le manteau.

24

RAPHAËL. — C'est la peur de me tromper qui me fait faire des bêtises.

LA MORT. — Vous ne pouvez pas apprendre en deux jours le métier d'Azraël. Azraël est à mon service depuis plusieurs siècles. Il était comme vous au début. Ma blouse.

Azraël sort la blouse blanche d'un des sacs et aide la Mort à la passer sur sa robe de bal.

AZRAËL, *à Raphaël.* — Prends les boîtes de métal et mets-les sur la table. Non, d'abord les serviettes. Couvre la table avec les serviettes.

LA MORT. *se dirigeant vers le lavabo.* — Azraël vous dira que j'exige l'ordre et la propreté comme sur un bateau.

RAPHAËL. — Oui, Madame. Que Madame me pardonne... mais j'étais distrait ; je regardais ce cheval.

LA MORT, *qui se lave les mains.* — Il vous plaît, ce cheval ?

RAPHAËL. — Oh ! oui, Madame, beaucoup.

LA MORT. — Quel enfant ! Je suis sûre que vous aimeriez l'avoir. C'est très simple. Azraël, l'alcool. (*A Raphaël.*) Vous trouverez un morceau de sucre sur l'autre table.

RAPHAËL. — Oui, Madame, il y est.

LA MORT. — Donnez-le-lui. S'il refuse, je le lui donnerai moi-même. Azraël, mes gants de caoutchouc. Merci. (*Elle met le gant de la main droite.*)

RAPHAËL. — Madame, le cheval refuse le sucre.

LA MORT, *prend le sucre.* — Mange, cheval, je le veux. (*Le cheval mange, recule et disparaît. Un rideau noir ferme la niche.*) Et voilà. (*A Raphaël.*) Il est à vous.

RAPHAËL. — Madame est trop bonne.

La Mort, *mettant le gant de la main gauche.*
— Il y a encore une semaine vous pensiez que j'étais un squelette avec un suaire et une faux. Vous vous représentiez un croquemitaine, un épouvantail...

Raphaël. — Oh ! Madame...

Pendant ces répliques, Azraël cache le miroir avec un linge.

La Mort. *allant prendre la chaise laissée par Heurtebise dans la porte-fenêtre.* — Si, si, si. Tous le croient. Mais, mon pauvre garçon, si j'étais comme les gens veulent me voir, ils me verraient. Et je dois entrer chez eux sans être vue. (*Elle pose la chaise, près de la rampe, au milieu.*) Azraël, essayez le contact.

Azraël. — Il marche, Madame.

Rumeur profonde d'une machine électrique.

La Mort. *Elle tire un mouchoir de sa blouse.*
— Parfait. Raphaël, voulez-vous avoir l'obligeance de me bander les yeux avec ce mouchoir. (*Pendant que Raphaël lui bande les yeux.*) Nous avons une onde sept et une zone sept-douze. Réglez tout sur quatre. Si j'augmente, vous irez jusqu'à cinq. Ne dépassez cinq sous aucun prétexte. Serrez fort. Faites un nœud double. Merci. Vous êtes à vos postes ? (*Azraël et Raphaël se tiennent derrière la table, côte à côte, debout, les mains à l'intérieur des boîtes de métal.*) Je commence. (*Elle s'approche de la chaise. Gesticulation lente de masseuse et d'hypnotiseur autour d'une tête invisible.*)

Raphaël, *très bas.* — Azraël...

Azrael, *même jeu.* — Chhut...

La Mort. — Parlez, parlez, vous ne me dérangez pas.

Raphaël. — Azraël, où est Eurydice ?

La Mort. — Je m'y attendais. Tu vois, Azraël, tous la même question ! Explique-lui.

AZRAËL. — La Mort, pour toucher les choses de la vie, traverse un élément qui les déforme et les déplace. Nos appareils lui permettent de les toucher où elle les voit, ce qui évite des calculs et une perte de temps considérable.

RAPHAËL. — C'est comme pour tirer un poisson dans l'eau avec une arme à feu.

LA MORT, *riant.* — Si vous voulez. (*Grave.*) Azraël, prépare-moi la bobine.

AZRAËL. — Oui, Madame... Madame sait-elle où est Heurtebise ?

LA MORT. — Il ramène Orphée de la ville.

RAPHAËL. — S'ils courent, aurons-nous le temps de finir ?

LA MORT. — Ceci regarde Azraël. Il change nos vitesses. Une heure pour moi doit être une minute pour eux.

AZRAËL. — L'aiguille dépasse cinq. Madame veut-elle la bobine ?

LA MORT. — Amorce-la et donne-la-moi.

Azraël disparaît chez Eurydice et rentre en scène avec la bobine. La Mort compte les pas entre sa chaise et la chambre. Puis elle s'arrête face à la porte. Azraël lui remet la bobine, sorte de mètre automatique où s'enroulera un fil blanc qui sort de la chambre.

AZRAËL. — Raphaël, vous avez le chrono-mètre ?

RAPHAËL. — Je l'ai oublié !

AZRAËL. — Nous voilà propres.

LA MORT. — Ne vous énervez pas. Il y a un moyen très simple. (*Elle parle bas à Azraël 1.*)

1. Le metteur en scène qui craindrait de déchirer un rideau de mystère par un geste entre la scène et la salle peut substituer à ce passage un conciliabule obscur. 1º LA MORT : Il y a un moyen très simple.

Azraël. *Il s'approche de la rampe.* — Mesdames, Messieurs. La Mort me charge de demander à l'assistance si un spectateur serait assez aimable pour lui prêter une montre ? (*A un monsieur qui, au premier rang, lève la main.*) Merci Monsieur, Raphaël, voulez-vous prendre la montre de Monsieur.

Jeu de scène.

La Mort. — Vous y êtes ?

Azraël. — Partez ! (*Roulement de tambour. Le fil s'échappe de la chambre et entre dans la boîte tenue par la Mort. Azraël et Raphaël, au fond, tournent le dos. Azraël compte avec une main en l'air comme un arbitre de boxe. Raphaël exécute lentement des signaux pareils à ceux du code naval.*)

Azraël. — Hop ! (*Le roulement de tambour s'arrête. Raphaël s'immobilise. Le fil résiste. La Mort se rue dans la chambre. Elle en sort sans le bandeau qui lui couvrait les yeux avec une colombe qui se débat, attachée au bout du fil. On n'entend plus la machine.*)

La Mort. — Ouf ! Vite, vite, Raphaël, les ciseaux. (*Elle court sur le balcon.*) Venez ici, coupez. (*Il coupe le fil; la colombe s'envole.*) Rangez la bande. Azraël, montre-lui. C'est très simple. Laisse-le faire, il faut qu'il apprenne. *Azraël et Raphaël enferment les boîtes de métal, la blouse, etc.*

La Mort, s'appuie contre la table de droite. Elle regarde le vide avec une fatigue profonde. Elle

Elle parle bas à Azraël. Azraël retourne à la table, parle bas à Raphaël. La Mort : Vous y êtes ? 2° (p. 33) La Mort : Alors, en route. Azraël : Raphaël ! La Mort : Qu'est-ce que c'est ? Raphaël : C'est juste. *Il entre dans la chambre d'Eurydice.* La Mort : Raphaël, dépêchez-vous, dépêchez-vous...

passe lentement son bras droit et sa main sur son front comme une somnambule qui se réveille, comme pour se sortir de l'hypnose.

AZRAËL. — Tout est en place, Madame.

LA MORT. — Et maintenant, fermez, bouclez. Je suis prête. Mon manteau. (*Azraël lui pose le manteau sur les épaules pendant que Raphaël ferme les sacs.*) Nous n'oublions rien ?

AZRAËL. — Non, Madame.

LA MORT. — Alors, en route.

LE MONSIEUR DE L'ORCHESTRE. — Psst !

AZRAËL. — Ah ! c'est juste.

LA MORT. — Qu'est-ce que c'est ?

AZRAËL. — La montre. Raphaël, reportez la montre à Monsieur en le remerciant.

Jeu de scène.

LA MORT. — Raphaël, dépêchez-vous, dépêchez-vous.

RAPHAËL. — Voilà, Madame, j'arrive.

La Mort se hâte et s'immobilise, le bras tendu, devant le miroir. Puis elle y pénètre. Ses aides la suivent. Ils exécutent la même manœuvre. Sur la table de droite, bien en évidence, elle a oublié ses gants de caoutchouc.

SCÈNE VII

ORPHÉE, HEURTEBISE

Aussitôt après la dernière réplique de la Mort, on entend la voix d'Orphée dans le jardin.

LA VOIX D'ORPHÉE. — Vous ne la connaissez pas. Vous ne savez pas de quoi elle est capable. Ce sont des comédies pour me faire rentrer à la maison.

La porte s'ouvre, ils entrent. Heurtebise se précipite vers la chambre, regarde, recule et se met à genoux sur le seuil.

ORPHÉE. — Où est-elle ? Eurydice !... Elle boude. Ah ! çà... Je deviens fou ! Le cheval ! où est le cheval ? (*Il découvre la niche.*) Parti ! — Je suis perdu. On lui aura ouvert la porte, on l'aura effrayé ; ce doit être un coup d'Eurydice. Elle me le payera !

Il s'élance.

HEURTEBISE. — Halte !

ORPHÉE. — Vous m'empêchez d'entrer chez ma femme !

HEURTEBISE. — Regardez.

ORPHÉE. — Où ?

HEURTEBISE. — Regardez à travers mes vitres.

ORPHÉE. *Il regarde.* — Elle est assise. Elle dort.

HEURTEBISE. — Elle est morte.

ORPHÉE. — Quoi ?

HEURTEBISE. — Morte. Nous sommes arrivés trop tard.

ORPHÉE. — C'est impossible. (*Il frappe aux vitres.*) Eurydice ! ma chérie ! réponds-moi !

HEURTEBISE. — Inutile.

ORPHÉE. — Vous ! laissez-moi entrer. (*Il écarte Heurtebise.*) Où est-elle ? (*A la cantonade.*) Je viens de la voir, assise, près du lit. La chambre est vide. (*Il rentre en scène.*) Eurydice !

HEURTEBISE. — Vous avez cru la voir. Eurydice habite chez la Mort.

ORPHÉE. — Ah ! peu importe le cheval ! Je veux revoir Eurydice. Je veux qu'elle me pardonne de l'avoir négligée, mal comprise. Aidez-moi. Sauvez-moi. Que faire ? Nous perdons un temps précieux.

HEURTEBISE. — Ces bonnes paroles vous sauvent, Orphée...

ORPHÉE, *pleurant, effondré sur la table.* — Morte. Eurydice est morte. (*Il se lève.*) Eh bien... je l'arracherai à la mort ! S'il le faut, j'irai la chercher jusqu'aux enfers !

HEURTEBISE. — Orphée... écoutez-moi. Du calme. Vous m'écouterez...

ORPHÉE. — Oui... je serai calme. Réfléchissons. Trouvons un plan...

HEURTEBISE. — Je connais un moyen.

ORPHÉE. — Vous !

HEURTEBISE. — Mais il faut m'obéir et ne pas perdre une minute.

ORPHÉE. — Oui.

Toutes ces répliques d'Orphée, il les prononce dans la fièvre et la docilité. La scène se déroule avec une extrême vitesse.

HEURTEBISE. — La Mort est entrée chez vous pour prendre Eurydice.

ORPHÉE. — Oui...

HEURTEBISE. — Elle a oublié ses gants de caoutchouc. (*Un silence. Il s'approche de la table, hésite et prend les gants de loin comme on touche un objet sacré.*)

ORPHÉE, *avec terreur.* — Ah !

HEURTEBISE. — Vous allez les mettre.

ORPHÉE. — Bon.

HEURTEBISE. — Mettez-les (*Il les lui passe. Orphée les met.*) Vous irez voir la Mort sous prétexte de les lui rendre et grâce à eux vous pourrez parvenir jusqu'à elle.

ORPHÉE. — Bien...

HEURTEBISE. — La Mort va chercher ses gants. Si vous les lui rapportez, elle vous donnera une récompense. Elle est avare, elle aime mieux prendre que donner et comme elle ne rend jamais ce qu'on lui laisse prendre, votre démarche l'étonnera beaucoup. Sans doute vous obtiendrez peu, mais vous obtiendrez toujours quelque chose.

ORPHÉE. — Bon.

HEURTEBISE, *Il le mène devant le miroir.* — Voilà votre route.

ORPHÉE. — Ce miroir ?

HEURTEBISE. — Je vous livre le secret des secrets. Les miroirs sont les portes par lesquelles la Mort va et vient. Ne le dites à personne. Du reste, regardez-vous toute votre vie dans une glace et vous verrez la Mort travailler comme des abeilles dans une ruche de verre. Adieu. Bonne chance !

ORPHÉE. — Mais un miroir, c'est dur.

HEURTEBISE, *la main haute.* — Avec ces gants vous traverserez les miroirs comme de l'eau.

ORPHÉE. — Où avez-vous appris toutes ces choses redoutables ?

HEURTEBISE, *sa main retombe*. — Vous savez, les miroirs, ça rentre un peu dans la vitre. C'est notre métier.

ORPHÉE. — Et une fois passée cette ...porte...

HEURTEBISE. — Respirez lentement, régulièrement. Marchez sans crainte devant vous. Prenez à droite, puis à gauche, puis à droite, puis tout droit. Là, comment vous expliquer... Il n'y a plus de sens... on tourne ; c'est un peu pénible au premier abord.

ORPHÉE. — Et après ?

HEURTEBISE. — Après ? Personne au monde ne peut vous renseigner. La Mort commence.

ORPHÉE. — Je ne la crains pas.

HEURTEBISE. — Adieu. Je vous attends à la sortie.

ORPHÉE. — Je serai peut-être long.

HEURTEBISE. — Long... pour vous. Pour nous, vous ne ferez guère qu'entrer et sortir.

ORPHÉE. — Je ne peux croire que cette glace soit molle. Enfin, j'essaye.

HEURTEBISE. — Essayez. (*Orphée se met en marche.*)

D'abord les mains !

Orphée, les mains en avant, gantées de rouge, s'enfonce dans la glace.

ORPHÉE. — Eurydice !... (*Il disparaît.*)

SCÈNE VIII

HEURTEBISE seul, puis LE FACTEUR

Heurtebise resté seul s'agenouille devant la niche du cheval. On frappe.

HEURTEBISE. — Qu'est-ce que c'est ?

LA VOIX DU FACTEUR. — Le facteur. J'ai une lettre pour vous.

HEURTEBISE. — Monsieur n'est pas là.

LA VOIX DU FACTEUR. — Et Madame ?

HEURTEBISE. — Madame non plus. Glissez votre lettre sous la porte.

Une lettre passe sous la porte.

LA VOIX DU FACTEUR. — Ils sont sortis ?

HEURTEBISE. — Non... Ils dorment.

LE RIDEAU DE L'INTERVALLE
TOMBE LENTEMENT
ET SE RELÈVE TOUT DE SUITE

SCÈNE VIII *bis*

HEURTEBISE, LE FACTEUR

HEURTEBISE. — Qu'est-ce que c'est ?

LA VOIX DU FACTEUR. — Le facteur. J'ai une lettre pour vous.

HEURTEBISE. — Monsieur n'est pas là.

LA VOIX DU FACTEUR. — Et Madame ?

HEURTEBISE. — Madame non plus. Glissez votre lettre sous la porte.

LA VOIX DU FACTEUR. — Ils sont sortis ?

HEURTEBISE. — Non... Ils dorment.

SCÈNE IX

HEURTEBISE, ORPHÉE, puis EURYDICE

Orphée sort de la glace.

ORPHÉE. — Vous êtes encore là ?

HEURTEBISE. — Eh bien, racontez vite.

ORPHÉE. — Mon cher, vous êtes un ange.

HEURTEBISE. — Pas du tout.

ORPHÉE. — Si, si, un ange, un vrai ange. Vous m'avez sauvé.

HEURTEBISE. — Eurydice ?

ORPHÉE. — Une surprise. Regardez bien.

HEURTEBISE. — Où ?

ORPHÉE. — La glace. Une, deux, trois. (*Eurydice sort de la glace.*)

HEURTEBISE. — Elle !

EURYDICE. — Oui, moi. Moi la plus heureuse des épouses, moi la première femme que son mari ait eu l'audace de venir reprendre chez les morts.

ORPHÉE. — « Madame Eurydice reviendra des enfers. » Et nous qui refusions un sens à cette phrase.

EURYDICE. — Chut, mon chéri ; rappelle-toi ta promesse. On ne reparlera plus jamais du cheval.

ORPHÉE. — Où avais-je la tête ?

EURYDICE. — Et vous savez Heurtebise, il a découvert le chemin tout seul. Il n'a pas hésité une seconde. Il a eu l'idée géniale de mettre les gants de la Mort.

HEURTEBISE. — C'est ce qu'on appelle, si je ne me trompe, se donner des gants.

ORPHÉE. *très vite.* — Enfin... le principal était de réussir. (*Il fait mine de se retourner vers Eurydice.*)

EURYDICE. — Attention !

ORPHÉE. — Oh ! (*Il se fige.*)

HEURTEBISE. — Qu'avez-vous ?

ORPHÉE. — Un détail, un simple détail. Au premier moment la chose paraît effrayante, mais avec un peu de prudence tout s'arrangera.

EURYDICE. — Ce sera une affaire d'habitude.

HEURTEBISE. — De quoi s'agit-il ?

ORPHÉE. — D'un pacte. J'ai le droit de reprendre Eurydice, je n'ai pas le droit de la regarder. Si je la regarde, elle disparaît.

HEURTEBISE. — Quelle horreur !

EURYDICE. — C'est intelligent de décourager mon mari !

ORPHÉE, *faisant passer Heurtebise devant lui.* — Laisse, laisse, je ne me décourage pas. Il lui arrive ce qui nous est arrivé. Vous pensez bien qu'après avoir accepté cette clause — il le fallait coûte que coûte — nous avons passé par toutes vos transes. Or, je le répète, c'est faisable. Ce n'est pas facile, certes non, mais c'est faisable. J'estime que c'est moins dur que de devenir aveugle.

EURYDICE. — Ou que de perdre une jambe.

ORPHÉE. — Et puis... nous n'avions pas le choix.

EURYDICE. — Il y a même des avantages. Orphée ne connaîtra pas mes rides.

HEURTEBISE. — Bravo ! Il ne me reste plus qu'à vous souhaiter bonne chance.

ORPHÉE. — Vous nous quittez ?

HEURTEBISE. — Je crains que ma présence ne vous dérange. Vous devez avoir tant de choses à vous dire.

ORPHÉE. — Nous nous les dirons après le déjeuner. La table est mise. J'ai grand-faim. Vous êtes trop de notre aventure pour ne pas rester déjeuner avec nous.

HEURTEBISE. — Je crains que la présence d'un tiers ne contrarie votre femme.

EURYDICE. — Non, Heurtebise. (*En insistant sur les mots.*) Le voyage d'où je reviens transforme la face du monde. J'ai appris beaucoup. J'ai honte de moi. Orphée aura dorénavant une épouse méconnaissable, une épouse de lune de miel.

ORPHÉE. — Eurydice ! Ta promesse. On ne parlera plus jamais de la lune.

EURYDICE. — C'est mon tour de n'avoir aucune tête. A table ! à table ! Heurtebise à ma droite. Asseyez-vous. Orphée en face de moi.

HEURTEBISE. — Pas en face !

ORPHÉE. — Dieux ! J'ai eu raison de retenir Heurtebise. Je m'installe à ta gauche et je te tourne le dos. Je mange sur mes genoux.

Eurydice les sert.

HEURTEBISE. — Je brûle d'entendre le récit de votre voyage.

ORPHÉE. — Ma foi, j'aurai du mal à le raconter. Il me semble que je sors d'une opération. J'ai le vague souvenir d'un de mes poèmes que je récite pour me tenir éveillé et de bêtes immondes qui s'endorment. Ensuite un trou noir. Ensuite, j'ai parlé avec une dame invisible. Elle m'a remercié pour les gants. Une sorte de chirurgien est venu les reprendre et m'a dit de partir, qu'Eurydice me suivrait et que je ne devais la regarder sous aucun prétexte. J'ai soif ! (*Il prend son verre et se retourne.*)

EURYDICE ET HEURTEBISE, *ensemble.* — Attention !

EURYDICE. — J'ai eu une de ces peurs ! Sans te retourner, mon chéri, tâte comme mon cœur bat.

ORPHÉE. — C'est stupide. — Si je me bandais les yeux ?

HEURTEBISE. — Je ne vous le conseille pas. Vous ne savez pas les règles exactes. Si vous trichez, tout est perdu.

ORPHÉE. — On se représente mal la difficulté, la tension d'esprit qu'exige une bêtise pareille.

EURYDICE. — Que veux-tu, mon pauvre chéri, tu es toujours dans la lune...

Orphée. — Encore la lune ! Autant me traiter d'idiot.

Eurydice. — Orphée !

Orphée. — Je laisse la lune à tes ex-compagnes.

Silence.

Heurtebise. — Monsieur Orphée !

Orphée. — Je suis hiérophante du soleil.

Eurydice. — Tu ne l'es plus, mon amour.

Orphée. — Soit. Mais je défends qu'on parle de lune dans ma maison.

Silence.

Eurydice. — Si tu savais comme ces histoires de lune et de soleil ont peu d'importance.

Orphée. — Madame est au-dessus de ces choses-là.

Eurydice. — Si je pouvais parler...

Orphée. — Il me semble que pour une personne qui ne peut pas parler, tu parles beaucoup. Beaucoup ! Beaucoup trop !

Eurydice pleure. Silence.

Heurtebise. — Vous faites pleurer votre femme.

Orphée, *menaçant*. — Vous ! (*Il se retourne*).

Eurydice. — Ah !

Heurtebise. — Prenez garde !

Orphée. — C'est de sa faute. Elle ferait retourner un mort.

Eurydice. — Il valait mieux rester morte.

Silence.

Orphée. — La lune ! Si je la laissais dire, où irions-nous ? Je vous le demande. L'époque du cheval recommencerait.

Heurtebise. — Vous exagérez...

Orphée. — J'exagère ?

HEURTEBISE. — Oui.

ORPHÉE. — Et même en admettant que j'exagère. (*Il se retourne.*)

EURYDICE. — Attention !

HEURTEBISE, *à Eurydice*. — Du calme. Ne pleurez pas. La difficulté vous énerve. Orphée, mettez-y du vôtre. Vous finirez par faire un malheur.

ORPHÉE. — Et même en admettant que j'exagère, qui commence ?

EURYDICE. — Ce n'est pas moi.

ORPHÉE. — Pas toi ! Pas toi ! (*Il se retourne.*)

EURYDICE ET HEURTEBISE. — Ho !

HEURTEBISE. — Vous êtes dangereux, mon cher.

ORPHÉE. — Vous avez raison. Le plus simple est que je sorte de table et que je vous débarrasse de ma présence puisque vous me trouvez dangereux.

Il se lève. Eurydice et Heurtebise le retiennent par sa veste.

EURYDICE. — Mon ami...

HEURTEBISE. — Orphée...

ORPHÉE. — Non, non. Laisssez-moi.

HEURTEBISE. — Soyez raisonnable.

ORPHÉE. — Je serai ce qu'il me convient d'être.

EURYDICE. — Reste. (*Elle le tire, il perd l'équilibre, et la regarde. Il pousse un cri. Eurydice, pétrifiée, se lève. Son visage exprime l'épouvante. La lumière baisse. Eurydice s'enfonce lentement et disparaît. La lumière revient.*)

HEURTEBISE. — C'était fatal.

ORPHÉE, *pâle, sans forces, avec une grimace de fausse désinvolture*. — Ouf ! on se sent mieux.

HEURTEBISE. — Quoi ?

ORPHÉE, *même jeu.* — On respire.

HEURTEBISE. — Il est fou !

ORPHÉE, *cachant de plus en plus sa gêne sous la colère.* — Il faut se montrer dur avec les femmes. Il faut leur prouver qu'on ne tient pas à elles. Il ne faut pas se laisser conduire par le bout du nez.

HEURTEBISE. — Voilà qui est fort ! Vous prétendez me laisser entendre que vous avez regardé Eurydice exprès ?

ORPHÉE. — Suis-je un homme à distractions ?

HEURTEBISE. — Vous ne manquez pas d'audace ! Vous avez regardé par distraction. Vous avez perdu l'équilibre. Vous avez tourné la tête par distraction ; je vous ai vu.

ORPHÉE. — J'ai perdu l'équilibre exprès. J'ai tourné la tête exprès, et je défends qu'on me contredise.

Silence.

HEURTEBISE. — Eh bien, si vous avez tourné la tête exprès, je ne vous félicite pas.

ORPHÉE. — Je me passe de vos félicitations. Je me félicite, moi, d'avoir tourné la tête exprès vers ma femme. Cela vaut mieux que d'essayer de tourner la tête aux femmes des autres.

HEURTEBISE. — Est-ce pour moi, cette phrase ?

ORPHÉE. — Prenez-la comme bon vous semble.

HEURTEBISE. — Vous êtes trop injuste. Jamais je ne me suis permis de faire la cour à votre femme. Elle m'aurait vite envoyé promener. Votre femme était une femme modèle. Il vous a fallu la perdre une première fois pour vous en rendre compte et vous venez de la perdre une seconde fois, de la perdre lâchement et de la perdre tragiquement, de vous perdre, de tuer

41

une morte, de commettre de gaieté de cœur un acte irréparable. Car elle est morte, morte, remorte. Elle ne reviendra plus.

ORPHÉE. — Allons donc !

HEURTEBISE. — Comment, allons donc ?

ORPHÉE. — Où avez-vous vu une femme quitter la table en criant et ne pas venir se remettre à table.

HEURTEBISE. — Je vous laisse cinq minutes pour comprendre votre infortune.

Orphée lance sa serviette par terre, se lève, con-tourne la table, va regarder la glace, la touche, se dirige vers la porte et ramasse la lettre.

ORPHÉE, *il ouvre la lettre.* — Qu'est-ce que c'est que ça ?

HEURTEBISE. — Une mauvaise nouvelle ?

ORPHÉE· — Je ne peux pas lire, la lettre est écrite à l'envers.

HEURTEBISE. — C'est un moyen de déguiser l'écriture. Lisez dans la glace.

ORPHÉE, *devant la glace, lit.* —

« Monsieur,

« Excusez-moi de conserver l'incognito. Aglao-nice a découvert que l'ensemble des lettres qui commencent les mots de votre phrase : *Madame Eurydice Reviendra Des Enfers* forme un mot injurieux pour le tribunal du concours. Elle a convaincu le jury que vous étiez un mystifica-teur. Elle a soulevé contre vous la moitié des femmes de la ville. Bref, une énorme troupe de folles sous ses ordres se dirige vers votre maison. Les Bacchantes ouvrent la marche et réclament votre mort. Sauvez-vous, cachez-vous. Ne perdez pas une minute.

« Une personne qui vous veut du bien. »

HEURTEBISE. — Il ne doit pas y avoir un mot de vrai.

On entend au loin des tambours qui s'approchent et battent un rythme furieux.

ORPHÉE. — Écoutez...

HEURTEBISE. — Des tambours.

ORPHÉE. — *Leurs* tambours. Eurydice voyait juste. Heurtebise, le cheval m'a joué.

HEURTEBISE. — On n'écharpe pas un homme pour un mot.

ORPHÉE. — Le mot est un prétexte qui cache une haine profonde, une haine religieuse. Aglaonice guettait son heure. Je suis perdu.

HEURTEBISE. — Les tambours approchent.

ORPHÉE. — Comment n'ai-je pas vu cette lettre. Depuis quand l'a-t-on glissée sous la porte ?

HEURTEBISE. — Orphée, je suis bien coupable. On a glissé la lettre pendant votre visite chez les morts. Le retour de votre femme m'a saisi. J'ai oublié de vous prévenir. Sauvez-vous !

ORPHÉE. — Trop tard. (*L'envoûtement du cheval est fini. Orphée se transfigure.*)

HEURTEBISE. — Cachez-vous derrière les massifs, je dirai que vous êtes en voyage...

ORPHÉE. — Inutile, Heurtebise. Les choses arrivent comme elles doivent arriver.

HEURTEBISE. — Je vous sauverai de force !

ORPHÉE. — Je refuse.

HEURTEBISE. — C'est fou !

ORPHÉE. — La glace est dure. Elle m'a lu la lettre. Je sais ce qui me reste à faire.

HEURTEBISE. — Que voulez-vous faire ?

ORPHÉE. — Rejoindre Eurydice.

HEURTEBISE. — Vous ne le pouvez plus.

ORPHÉE. — Je le peux.

HEURTEBISE. — Même si vous y parvenez les scènes recommenceront entre vous.

ORPHÉE, *en extase*. — Pas où elle me fait signe de la rejoindre.

HEURTEBISE. — Vous souffrez. Votre figure se contracte. Je ne vous laisserai pas vous perdre à plaisir.

ORPHÉE. — Oh ! ces tambours, ces tambours ! Ils approchent, Heurtebise, ils tonnent, ils éclatent, ils vont être là.

HEURTEBISE. — Vous avez déjà fait l'impossible.

ORPHÉE. — A l'impossible je suis tenu.

HEURTEBISE. — Vous avez résisté à d'autres cabales.

ORPHÉE. — Je n'ai pas encore résisté jusqu'au sang.

HEURTEBISE. — Vous m'effrayez...

Le visage d'Heurtebise exprime une joie surhumaine.

ORPHÉE. — Que pense le marbre dans lequel un sculpteur taille un chef-d'œuvre ? Il pense : on me frappe, on m'abîme, on m'insulte, on me brise, je suis perdu. Ce marbre est idiot. La vie me taille, Heurtebise ! Elle fait un chef-d'œuvre. Il faut que je supporte ses coups sans les comprendre. Il faut que je me raidisse. Il faut que j'accepte, que je me tienne tranquille, que je l'aide, que je collabore, que je lui laisse finir son travail.

HEURTEBISE. — Les pierres !

Des pierres brisent les vitres et tombent dans la chambre.

44

ORPHÉE. — Du verre blanc. C'est la chance ! la chance ! J'aurai le buste que je voulais.

Une pierre casse la glace.

HEURTEBISE. — La glace !

ORPHÉE. — Pas la glace ! (*Il s'élance sur le balcon.*)

HEURTEBISE. — Elles vont vous écharper.

On entend des clameurs et des tambours.

ORPHÉE, *de dos sur le balcon, il se penche.* — Mesdames ! (*Rafale de tambours.*) Mesdames ! (*Rafale de tambours.*) Mesdames ! (*Rafale de tambours.*)

Il se précipite vers la droite, partie invisible du balcon. Les tambours couvrent sa voix. Ténèbres. Heurtebise tombe à genoux et se cache le visage.

Tout à coup une chose vole par la fenêtre et tombe dans la chambre. C'est la tête d'Orphée. Elle roule vers la droite et s'arrête au premier plan. Heurtebise pousse un faible cri. Les tambours s'éloignent.

SCÈNE X

HEURTEBISE, la tête d'ORPHÉE
puis EURYDICE

LA TÊTE D'ORPHÉE. *Elle parle avec la voix d'un grand blessé.* — Où suis-je ? Comme il fait noir... Comme j'ai la tête lourde. Et mon corps, mon corps me fait si mal. J'ai dû tomber du balcon. J'ai dû tomber de très haut, de très haut, très haut sur la tête. Et ma tête...? au fait, oui... je parle de ma tête... où est-elle, ma tête ?

Eurydice ! Heurtebise ! Aidez-moi ! où êtes-
vous ? Allumez la lampe. Eurydice ! Je ne vois
pas mon corps. Je ne trouve plus ma tête. Je
n'ai plus ni tête ni corps. Je ne comprends plus.
Et j'ai du vide, j'ai du vide partout. Expliquez-
moi. Réveillez-moi. Au secours ! Au secours !
Eurydice ! (*Comme une plainte.*) Eurydice...
Eurydice... Eurydice... Eurydice... Eurydice...
Entre Eurydice, sortant du miroir. Elle reste sur
place.

Eurydice. — Mon chéri ?

La tête d'Orphée. — Eurydice... c'est toi ?

Eurydice. — C'est moi.

La tête d'Orphée. — Où est mon corps ?
Où ai-je mis mon corps ?

Eurydice. — Ne cherche pas. Ne t'agace pas.
Donne-moi la main.

La tête d'Orphée. — Où est ma tête ? ...

Eurydice, *prenant le corps invisible par la*
main. — J'ai ta main dans ma main. Marche.
N'aie pas peur. Laisse-toi conduire...

La tête d'Orphée. — Où est mon corps ?

Eurydice. — Près de moi. Contre moi. Maintenant, tu ne peux plus me voir et j'ai la per-
mission de t'emmener.

La tête d'Orphée. — Et ma tête, Eurydice...
ma tête... où ai-je mis ma tête ?

Eurydice. — Laisse, mon amour, ne t'occupe
plus de ta tête...

Eurydice et le corps invisible d'Orphée s'enfoncent
dans le miroir.

SCÈNE XI

HEURTEBISE, La tête d'ORPHÉE, puis
LE COMMISSAIRE DE POLICE
LE GREFFIER

On frappe à la porte. Silence. On frappe. Silence.

La voix du commissaire. — Au nom de la loi, ouvrez.

Heurtebise. — Qui êtes-vous ?

La voix du Commissaire. — La police. Ouvrez ou j'enfonce la porte.

Heurtebise. — J'ouvre. (*Il s'élance vers la tête d'Orphée, la ramasse, hésite, la pose sur le socle et ouvre la porte. Le battant cache le socle. C'est alors que l'acteur qui joue le rôle d'Orphée substitue sa tête à la tête de carton.*)

Le Commissaire. — Pourquoi n'avez-vous pas répondu à ma première sommation ?

Heurtebise. — Monsieur le juge...

Le Commissaire. — Commissaire.

Heurtebise. — Monsieur le commissaire, je suis un ami de la famille... J'étais encore sous le coup d'un saisissement compréhensible...

Le Commissaire. — Un coup. Quel coup ?

Heurtebise. — Il faut vous dire que j'étais seul avec Orphée au moment du drame.

Le Commissaire. — Quel drame ?

Heurtebise. — Le meurtre d'Orphée par les Bacchantes.

Le Commissaire. *se retournant vers le greffier.*
— Je m'attendais à cette version. Et... ˙la
femme de la victime... Où est-elle ? J'aimerais
la confronter avec vous.

Heurtebise. — Elle est absente.

Le Commissaire. — De mieux en mieux.

Heurtebise. — Elle avait même abandonné
le domicile conjugal.

Le Commissaire. — Voyez-vous cela ! (*Au
greffier.*) Veuillez vous mettre à cette table (*il
désigne la table de gauche*) et prendre note. (*Le
greffier s'installe. Papiers, plumes. Il tourne le
dos à la glace. Heurtebise est debout près de la
glace. Pour être plus à l'aise le greffier tire la table
en arrière de sorte que cette table rende l'accès de
la porte impossible.*)

Heurtebise. — J'ai...

Le Greffier. — Silence.

Le Commissaire. — Procédons par ordre.
Ne parlez que si je vous interroge. Où est le
corps ?

Heurtebise. — Quel corps ?

Le Commissaire. — Quand il y a crime, il y
a corps. Je vous demande où se trouve le corps ?

Heurtebise. — Mais, Monsieur le commissaire, il n'y a pas de corps. Il a été déchiré,
décapité, emporté par ces folles !

Le Commissaire. — Primo, je vous dispense
de porter un jugement injurieux sur des femmes
qui exercent un sacerdoce. Secundo, votre
version est contredite par cinq cents témoignages
visuels.

Heurtebise. — Vous prétendez...

Le Commissaire. — Silence !

Heurtebise. — Je...

LE COMMISSAIRE, *débit prétentieux*. — Silence. Écoutez-moi bien, mon gaillard. Nous sommes aujourd'hui jour d'éclipse. Cette éclipse de soleil est cause d'un formidable revirement populaire en faveur d'Orphée. On porte le deuil. On organise son triomphe. Les autorités réclament sa dépouille mortelle. Or, les Bacchantes ont vu Orphée paraître à son balcon couvert de sang et criant au secours. Surprises, car elles venaient sous ses fenêtres à seule fin de lui faire un charivari, elles eussent volé à son aide s'il n'était, racontent-elles (et cinq cents bouches le racontent), s'il n'était, disais-je, tombé mort sous leurs yeux.

Je me résume. Ces dames organisent un monôme. Elles arrivent aux cris de « conspuez Orphée ». Soudain la fenêtre s'ouvre. Orphée ensanglanté s'élance et appelle au secours. Ces dames s'apprêtent à gravir les marches ; il est trop tard ! Orphée tombe, et toute la troupe — n'oublions pas que ce sont des femmes... des femmes qui aiment crier, mais que la vue du sang effraye — toute la troupe, dis-je, rebrousse chemin. Éclipse. La ville voit dans cette éclipse la colère du soleil, parce qu'on moque un de ses anciens prêtres. Les autorités s'avancent à la rencontre des femmes et les femmes, par l'entremise d'Aglaonice, racontent le crime étrange dont elles viennent d'être témoins. La ville entière voulait se ruer sur les lieux. Des mesures sévères furent prises afin de réprimer le désordre et on m'a dépêché, moi, moi le chef de la police, moi qui vous interroge et qui ne supporterai pas qu'on me traite comme un garde champêtre. Tenez-le-vous pour dit.

HEURTEBISE. — Mais je ne vous...

LE GREFFIER. — Silence. On ne vous interroge pas.

Le Commissaire. — Procédons par ordre. (*Au greffier.*) Où en étais-je ?

Le Greffier. — Le buste. Je me permets de vous rappeler le buste...

Le Commissaire. — Ah ! oui. (*A Heurtebise.*) Vous êtes de la maison ?

Heurtebise. — Un ami de la maison.

Le Commissaire. — On demande un buste d'Orphée pour le triomphe. En connaissez-vous un ?

Heurtebise se dirige vers la porte et la ferme. On voit la tête sur le socle. Le commissaire et le greffier se retournent.

Le Commissaire. — Il n'est pas ressemblant.

Heurtebise. — C'est une très belle chose.

Le Commissaire. — De qui ?

Heurtebise. — Je l'ignore.

Le Commissaire. — Il n'est pas signé, ce buste ?

Heurtebise. — Non.

Le Commissaire, *au greffier.* — Prenez note : Tête présumée d'Orphée.

Heurtebise. — Non, non. C'est Orphée, de cela on est certain. Le doute ne porte que sur l'auteur.

Le Commissaire. — Alors, mettez : Tête d'Orphée, par X. (*A Heurtebise.*) Vos noms.

Heurtebise. — Plaît-il ?

Le Greffier. — On vous demande vos noms.

Le Commissaire. — Car, pour le métier, on ne me trompe pas. J'ai l'œil. (*Il s'approche et tapote les vitres.*) Vous êtes vitrier, mon gaillard !

Heurtebise, *souriant.* — Vitrier, je l'avoue.

LE COMMISSAIRE. — Avouez, avouez, c'est encore le seul système de défense qui tienne debout.

LE GREFFIER. — Excusez-moi, Monsieur le commissaire, mais, si nous lui demandions ses papiers...

LE COMMISSAIRE. — Très juste. (*Il s'assoit.*) Vos papiers.

HEURTEBISE. — Je... je n'en ai pas.

LE COMMISSAIRE. — Hein ?

LE GREFFIER. — Oh ! oh !

LE COMMISSAIRE. — Vous circulez sans vos papiers ? Où sont-ils ? Où demeurez-vous ?

HEURTEBISE. — Je demeure... c'est-à-dire, voilà : je demeurais...

LE COMMISSAIRE. — Je ne vous demande pas où vous demeuriez. Je vous demande l'adresse de votre domicile actuel.

HEURTEBISE. — Actuellement ?... actuellement je me trouve... sans domicile.

LE COMMISSAIRE. — Pas de papiers, pas de domicile. Parfait. Vagabondage. Un ambulant ! Votre affaire est claire, mon ami. Votre âge ?

HEURTEBISE. — J'ai... (*Il hésite.*)

LE COMMISSAIRE. *Il interroge en tournant le dos, les yeux au ciel, remuant le pied, comme les examinateurs.* — Je suppose que vous avez du moins un âge...

LA TÊTE D'ORPHÉE. — Dix-huit ans.

LE GREFFIER. *Il écrit.* — Dix-sept ans.

LA TÊTE D'ORPHÉE. — Dix-huit.

LE COMMISSAIRE. — Né à...

LE GREFFIER. — Une petite minute, Monsieur le commissaire. Je gratte le chiffre. (*Il gratte.*)

51

Eurydice sort à moitié du miroir.

Eurydice. — Heurtebise... Heurtebise. Je sais qui vous êtes. Venez, entrez, nous vous attendions. Il ne manque plus que vous.

Heurtebise hésite.

La tête d'Orphée. — Dépêchez-vous, Heurtebise. Suivez ma femme. Je vais répondre à votre place. J'inventerai n'importe quoi.

Heurtebise plonge dans le miroir.

SCÈNE XII

La tête d'ORPHÉE, Le COMMISSAIRE, LE GREFFIER

Le Greffier. — Monsieur le commissaire, à vos ordres.

Le Commissaire. — Né à...

La tête d'Orphée. — Maisons-Laffitte.

Le Commissaire. — Maison quoi ?

La tête d'Orphée. — Maisons-Laffitte, deux f, deux t.

Le Commissaire. — Puisque vous me dites votre lieu de naissance, vous ne refuserez plus de dire votre nom. Vous vous appelez...

La tête d'Orphée. — Jean.

Le Commissaire. — Jean comment ?

La tête d'Orphée. — Jean Cocteau.

LE COMMISSAIRE. — Coc...

LA TÊTE D'ORPHÉE. — C. O. C. T. E. A. U. Cocteau.

LE COMMISSAIRE. — C'est un nom à coucher dehors. Il est vrai que vous couchez dehors. A moins que vous ne consentiez, maintenant, à nous dire votre domicile...

LA TÊTE D'ORPHÉE. — Rue d'Anjou, dix.

LE COMMISSAIRE. — Vous devenez raisonnable.

LE GREFFIER. — La signature...

LE COMMISSSAIRE. — Préparez une plume. (*A Heurtebise.*) Approchez. Approchez, on ne vous mangera pas. (*Il se retourne.*) Oh !

LE GREFFIER. — Qu'y a-t-il ?

LE COMMISSAIRE. — Tonnerre ! L'inculpé a disparu.

LE GREFFIER. — C'est prodigieux !

LE COMMISSAIRE, — Prodigieux... Prodigieux... Il n'y a rien de prodigieux. (*Il arpente la scène.*) Je ne crois pas aux prodiges. Une éclipse est une éclipse. Une table est une table. Un inculpé est un inculpé. Procédons par ordre. Cette porte...

LE GREFFIER. — Impossible, Monsieur le commissaire, pour sortir par cette porte il fallait bousculer ma chaise.

LE COMMISSAIRE. — Reste la fenêtre.

LE GREFFIER. — Pour la fenêtre, il fallait passer devant nous. D'ailleurs, l'inculpé répondait. Il a répondu jusqu'à la dernière minute.

LE COMMISSAIRE. — Alors ?

LE GREFFIER. — Alors, je n'y comprends rien.

LE COMMISSAIRE. — Il faut qu'il existe quelque issue secrète dont l'assassin — car cette fuite nous apporte la preuve du crime — dont l'assassin, disais-je, devait connaître l'existence. Sondez le mur.

Le greffier cogne. Recherches.

LE GREFFIER. — Le mur sonne plein.

LE COMMISSAIRE. — Parfait. Puisque ce gaillard nous brûle la politesse et se cache, ne lui donnons pas la satisfaction de le chercher sous ses propres yeux. (*A tue-tête.*) J'ai des hommes autour de la maison. Il ne peut faire deux pas dehors sans être pris et, s'il s'obstine, on le cernera jusqu'à ce que la faim l'oblige à sortir. Venez.

LE GREFFIER. — Quelle histoire !

LE COMMISSAIRE. — Il n'y a pas la moindre histoire. Vous voyez toujours des histoires partout.

Ils sortent. Pendant qu'ils sortent et que le battant de la porte cache le buste, l'acteur substitue à sa tête la fausse tête. La scène reste vide.

LE COMMISSAIRE, *il rentre.* — Nous oublions le buste.

LE GREFFIER. — Il ne faut pas revenir les mains vides.

LE COMMISSAIRE. — Prenez-le.

Le greffier prend la tête. Ils sortent.

SCÈNE XIII

*Le décor monte au ciel. Entrent par la glace :
Eurydice et Orphée. Heurtebise les mène. Ils
regardent leur maison comme s'ils la voyaient
pour la première fois. Ils s'asseyent à table.
Eurydice désigne sa droite à Heurtebise. Ils
sourient. Ils respirent le calme.*

EURYDICE. — Tu voulais du vin, je crois, mon
chéri.

ORPHÉE. — Attends. D'abord la prière. (*Il
se lève ainsi qu'Eurydice et Heurtebise. Il récite.*)
Mon Dieu, nous vous remercions de nous avoir
assigné notre demeure et notre ménage comme
seul paradis et de nous avoir ouvert votre
paradis. Nous vous remercions de nous avoir
envoyé Heurtebise et nous nous accusons de
n'avoir pas reconnu notre ange gardien. Nous
vous remercions d'avoir sauvé Eurydice parce
que, par amour, elle a tué le diable sous la forme
d'un cheval et qu'elle en est morte. Nous vous
remercions de m'avoir sauvé parce que j'adorais
la poésie et que la poésie c'est vous. Ainsi soit-il.

Ils se rasseyent.

HEURTEBISE. — Je vous sers ?

ORPHÉE, *respectueusement*. — Laissez Eurydice...

Eurydice lui verse à boire.

HEURTEBISE. — Peut-être arriverons-nous
enfin à déjeuner.

RIDEAU

Villefranche-sur-Mer, 24 septembre 1925.

NOTES DE MISE EN SCÈNE

Le miroir laisse entrer et sortir les personnages par un praticable qui débouche des coulisses à la hauteur du cadre. C'est une ouverture dont la découverte est cachée par un panneau miroitant.

La bibliothèque doit avoir une petite case praticable où se glisse un vrai livre. Au-dessus de la bibliothèque une fente permet de prendre une feuille de papier.

Le socle contient l'acteur à genoux sur un coussin de telle sorte que sa tête dépasse et habite la niche.

Le cheval est le devant d'un cheval, une tête de cheval à l'encolure très courbée, sur un homme en maillot. La porte du box cache le haut des jambes et le poitrail.

Un rideau noir sur une tringle permet de fermer la niche.

Le lavabo est en trompe-l'œil.

Lorsque Heurtebise feint de travailler, il dégage d'abord la fenêtre en portant la table servie contre le mur de droite. Ensuite, à la réplique : « Montez sur cette chaise », il prend la chaise qui était derrière la table et la place dans le cadre de la porte-fenêtre. Il pose le pied gauche dessus et le pied droit sur un escabeau dissimulé derrière le portant. Il lève les mains vers les vitres. Un machiniste le tient par une ceinture invisible dont l'anneau dépasse sous son appareil de vitrier. Lorsque Orphée ôte la chaise, il vole. Ce système très simple, trouvé par Pitoëff, est d'un effet extraordinaire.

L'appareil de vitrier d'Heurtebise supporte des vitres d'espèces différentes. Sa tête se détache sur du mica. Derrière lui, ses vitres sont d'une matière miroitante et qui envoie des reflets partout.

Dans la coulisse, côté cour, une machine électrique à rumeur profonde. (On peut employer le *vacuum cleaner*).

Lorsque la Mort entre dans la chambre d'Eurydice, elle enlève son bandeau. Un machiniste lui donne la colombe qu'elle empoigne par les pattes pour qu'elle batte des ailes. Elle apparaît. Raphaël coupe le fil. Elle disparaît derrière le portant gauche de la fenêtre où on lui prend la colombe des mains et recule sur la terrasse avec le geste d'avoir lâché la colombe en l'air (1).

Après la réplique d'Heurtebise : « Je le ramènerai, je vous le promets », la lumière baisse et devient laiteuse. Une fois fixée cette nouvelle lumière d'aquarium, la Mort entre. On voit d'abord son bras sortir du miroir ; ensuite, le bras gauche des aides avant les aides.

En partant, la Mort se dépêche et se pétrifie une seconde, la main tendue, devant le miroir. Ses aides, même jeu.

Lorsque le rideau de l'intervalle tombe, attendre un peu avant de relever si les spectateurs applaudissent pour que ce tour de cartes abstrait ne prenne pas l'apparence d'une fausse manœuvre.

Disparition d'Eurydice. Dans un théâtre sans trappe on baisse la lumière sur résistance. Eurydice

(1). Inutile de dire qu'il n'y a pas un seul symbole dans la pièce. Rien que du langage pauvre, du *poème agi*. Cette colombe est un lieu commun.

57

se lève avec un geste d'horreur et glisse lentement derrière la table. Une fois l'obscurité complète on passe le bout d'une étoffe noire à Orphée qui se tient contre la porte de la chambre. Il tend l'étoffe jusqu'à la table, Eurydice se sauve derrière elle. On tire l'étoffe des coulisses d'un seul coup et on donne la lumière pleins feux. Toute cette manœuvre s'exécute en un clin d'œil. Même dans un théâtre muni d'une trappe, Eurydice doit disparaître lentement et la lumière descendre avec elle.

Trois musiciens suffisent pour l'arrivée des Bacchantes.

Un homme : tambour et cymbale. Un autre, caisse de jazz. Un troisième : timbales.

Les rythmes doivent angoisser, ressembler au tam-tam des sauvages.

Après le troisième : *Mesdames* ! d'Orphée, les tambours font un bruit terrible. On entend des vitres brisées, une chose lourde qui tombe et une chaise qui se renverse. Une petite lampe, dissimulée à droite dans la rampe, s'allume. C'est l'éclairage des crimes au Musée Grévin. On voit par terre, près de la nappe, la tête qui se détache sur le blanc de la chaise tombée. La chaise est renversée, la tête mise en place pendant le noir qui aveugle la salle. L'acteur se couche dans la coulisse et parle de la chambre.

Lorsque la police frappe ses coups contre la porte et que l'ange ramasse la tête, la pose sur le socle et ouvre la porte, on rend toute la lumière et l'acteur substitue sa tête à la tête de carton. Lorsque le commissaire et l'huissier sortent, l'acteur se retire et remet la tête de carton.

JEAN COCTEAU

de l'Académie Française

Orphée

tragédie en un acte
et un intervalle

ORPHÉE *a été représenté pour la première fois au Théâtre des Arts, à Paris, le 17 juin 1926 avec la distribution ci-dessous. Le décor était de Jean Victor-Hugo, les robes de Gabrielle Chanel.*

PERSONNAGES

ORPHÉE	MM. GEORGES PITOEFF
HEURTEBISE	MARCEL HERRAND
LE COMMISSAIRE DE POLICE	LÉON LARIVE
LE GREFFIER.	JEAN HORT.
LE CHEVAL.	NORBERT.
VOIX DU FACTEUR	ROGER
AZRAEL, 1er AIDE DE LA MORT	ALFRED PENAY
RAPHAEL, 2e AIDE »	GEORGES DE VOS
EURYDICE. . . . . Mme	LUDMILLA PITOEFF
LA MORT. . . . . Mlle	MIREILLE HAVET.

EN THRACE, CHEZ ORPHÉE

Costumes

On doit adopter les costumes de l'époque où la tragédie est représentée.

Orphée et Eurydice en tenues de campagne, les plus simples, les plus invisibles.

Heurtebise avec la cotte bleu pâle des ouvriers, un foulard sombre autour du cou et des espadrilles blanches. Il est hâlé, tête nue. Il ne quitte jamais son appareil à vitres.

Le commissaire et l'huissier portent des redingotes noires, des panamas, des barbiches, des bottes à boutons.

La Mort est une jeune femme très belle en robe de bal rose vif et en manteau de fourrure. Cheveux, robe, manteau, souliers, gestes, démarche à la dernière mode. Elle a de grands yeux bleus peints sur un loup. Elle parle vite, d'une voix sèche et distraite. Sa blouse d'infirmière aussi doit être l'élégance même.

Ses aides ont l'uniforme, le masque de linge, les gants de caoutchouc des chirurgiens qui opèrent.

Décor

Un salon dans la villa d'Orphée. C'est un curieux salon. Il ressemble pas mal aux salons des prestidigitateurs. Malgré le ciel d'avril et sa lumière franche, on devine ce salon cerné par des forces mystérieuses. Même les objets familiers ont un air suspect.

D'abord, dans un box en forme de niche, bien au milieu, habite un cheval blanc. Les jambes de ce cheval ressemblent beaucoup à des jambes d'homme. A gauche du cheval, une autre petite niche. Dans cette niche que du laurier encadre, se dresse un socle vide. Après le socle, à l'extrême gauche, une porte ouvre sur le jardin. Lorsque cette porte est ouverte, le battant cache le socle. A droite du cheval, un lavabo de faïence. Après ce lavabo, à l'extrême droite, une porte-fenêtre. Cette porte-fenêtre, dont on aperçoit le vitrage a demi poussé vers l'extérieur, donne sur une terrasse qui entoure la villa.

Au premier plan, à gauche, contre le mur, un vaste miroir. Au second plan, une bibliothèque. Au milieu du pan coupé de droite, porte ouverte sur la chambre d'Eurydice. Un plafond en pente ferme la scène comme une boîte.

Deux tables et trois chaises blanches meublent la pièce. A gauche, une table à écrire et une des chaises.

A droite de la scène, des fruits, des assiettes, une carafe, des verres, pareils aux ustensiles en carton des jongleurs, sur la seconde table recouverte d'une nappe qui touche le sol. Une chaise derrière cette table, de face ; une autre près d'elle, à gauche.

On ne pourrait ajouter ou supprimer une chaise, distribuer autrement les ouvertures, car ce décor est un décor *utile* où le moindre détail joue son rôle comme les appareils d'un numéro d'acrobates.

Sauf le bleu du ciel et le bourrelet de velours rouge sombre qui borde en haut la petite porte du box dissimulant le milieu du corps du cheval, aucune couleur.

Le décor rappellera les aéroplanes ou navires trompe-l'œil chez les photographes forains.

Au reste ce décor épouse les personnages et les événements d'une manière aussi naïve et aussi dure que modèle et toile peinte se mélangent sur le camaïeu des cartes-portraits.

OUVRAGES DE JEAN COCTEAU

---

aux Editions Stock

La Voix humaine, *théâtre*.

Le Grand Écart, *roman*.

Opium, *journal d'une désintoxication*.

Le Potomak, *roman*.

Le Rappel à l'ordre, *essai*.

Opéra, *œuvres poétiques*.

Printed in France
Achevé d'imprimer le 20 *Septembre* 1962
dans les ateliers de l'Imprimerie J. FONTAINE & FILS
Saint-Quentin
pour le compte des Éditions Stock
6, rue Casimir Delavigne, Paris

Dépôt légal : 3e trimestre 1962.
N° d'Édition : 1399. — N° d'Impression : 24613